arc-en-ciel

cascae

Collection dirigée par Caroline Westberg

ISBN 2-7002-2666-6 • ISSN 1142-8252

AR22.044X

L'école d'Agathe

Pakita
J.-P. Chabot

Mathieu,
le roi
des bonbons

RAGEOT•ÉDITEUR

Coucou !
C'est moi,
Agathe !

Vous connaissez
Mathieu Duval,
le roi des bonbons ?

C'est un grand garçon blond
qui dit toujours des méchancetés.

Il est dans ma classe.

Il n'aime que la bagarre... et
nous !

Nous,

Mais nous, les filles, on ne
l'aime pas.

Il est tout rouge quand il court
et en plus, après la gym,
il sent des pieds quand
il enlève ses baskets !

Et comme c'est le
plus grand de la classe,
il se croit le plus fort, le plus
beau, le plus super quoi !

C'est nul.

En fait, il est super nul !

Alors nous, les filles, des fois on le traite :

– Mathieu Duval ressemble à un cheval, euh !

Ou encore :

– Mathieu Duval est un crapaud brutal, euh !

Ou pire :

– Mathieu Duval est un horrible animal sale, il a des poils, des poux, et des puces partout !

Tout aurait pu continuer comme ça. Mathieu Duval qui aime les filles. Et les filles qui ne l'aiment pas.

Seulement voilà, Mathieu est le fils du boulanger.

Dans la boulangerie de monsieur Duval, il y a du pain, bien sûr !

Des gâteaux, évidemment !

Mais surtout, il y a des bonbons !

De très bons bonbons !

Des bonbons qui se CROQUENT, des bonbons qui se SUCent, des bonbons qui pétillent dans la bouche, qui se trempent dans la poudre, des bonbons-biberons, des colliers-bonbons, des bonbons trop bons !

Tout le monde aime les bonbons.

Les filles et les garçons.

Et ça, Mathieu le sait !

Lundi matin, Mathieu est arrivé tôt à l'école.

Il était très gentil (bizarre, quoi !).

Et il a déclaré :

– Les filles, à partir d'aujourd'hui, celle d'entre vous qui m'écrit *je t'aime* sur un petit mot aura 2 francs de bonbons !

Et il est parti se bagarrer.

Alors, on a parlé ensemble, nous, les filles.

Au début, on était toutes d'accord.

On n'allait quand même pas tomber dans son piège.

Les filles, ça ne s'achète pas !

Comme d'habitude, on a topé, main-main, pouce-pouce, bisou-joue, bisou-joue.

On fait toujours comme ça pour montrer aux garçons qu'on est toutes ensemble contre eux !

Comment toper ave

fig. 1 : Main-main   fig. 2 : Pouce-pouce

Quand tout à coup, Magali a dit :

– Moi euh... j'aime vraiment beaucoup les bonbons alors euh... les filles... euh... (elle était quand même gênée), je crois... euh... que je vais écrire le mot.

Agathe et Zizette ...

fig.3 : Bisou-joue

Et voilà !

Quand on a entendu ça, on a crié, on lui a dit des choses horribles !!!

Et puis on a décidé de ne plus lui parler. On était toutes d'accord. Magali nous avait trahies !

Mais le lendemain, quand Magali est venue manger ses bonbons sous notre nez, on a changé d'avis !

D'abord, on lui a demandé un bonbon. Puis, à la cantine, on a toutes écrit le petit mot !

Mathieu avait gagné !

... Enfin...
pas complètement !

Il y a une fille de notre classe qui l'a dit à une fille de la classe d'à côté et les *14* filles de la classe d'à côté ont écrit : *je t'aime* à Mathieu Duval.

Puis une des filles de la classe d'à côté en a parlé à sa meilleure amie qui est chez mademoiselle Lafleur et les *13* filles de chez mademoiselle Lafleur ont écrit *je t'aime* à Mathieu Duval.

Et là, Mathieu a commencé à être mal à l'aise.

Comme il est très fort en calcul mental, il a compté à voix haute :

15 filles de la classe
+ 14 filles de chez madame Pikili
+ 13 filles de chez mademoiselle Lafleur
_____
= 42 filles.

14+13=42

– Heureusement que les filles de chez monsieur Durang ne sont pas au courant ! a dit Mathieu.

Justine a souri mystérieusement et il a compris.

Il s'est assis en tremblant,

 il a sorti un crayon, un bout de papier et il a écrit.

42 filles + 13 filles de chez monsieur Durang

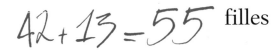

42 + 13 = 55 filles

1 fille = 2 francs de bonbons

2 filles = 4 francs...

$$2+2+2+2+2+2+2+2+2+2$$
$$+2+2+2+2+2+2+2+2+2+2$$
$$+2+2+2+2+2+2+2+2+2+2$$
$$+2+2+2+2+2+2+2+2+2+2$$
$$+2+2+2+2+2+2+2+2+2+2$$
$$+2+2+2+2+2$$

$$= 110 \ !/!/$$

– 110 francs de bonbons. Ça fait rudement beaucoup !

Il suait à grosses gouttes et il était tout rouge.

Nous on rigolait, mais Mathieu a dit :

– Je n'aime pas qu'on se moque de moi ! Je suis un noble chevalier et je ne vais pas me dégonfler !

Ce matin, à l'entrée de l'école, toutes les filles l'attendaient.

Mathieu est arrivé avec ses 55 paquets ! Il n'avait oublié personne ! Et il faisait le fier ! Il gonflait ses muscles devant les filles et aussi devant les garçons !

Il n'a pas fait le fier longtemps. Son papa est arrivé juste après lui.

Il a posé un grand sac par terre et il a attendu les bras croisés.

On a tout de suite compris.

On a toutes posé nos bonbons dans le sac.

Puis, sans un mot, monsieur Duval a emmené Mathieu et nos bonbons chez le directeur.

Cet après-midi, pendant la récréation, Mathieu ne nous a pas traitées, nous, les filles. Il ne s'est pas bagarré non plus.

Même que Magali a dit que s'il était gentil comme ça et tout, elle lui écrirait

je t'aime

sur un petit mot et elle ajouterait :

P.S. C'est pas pour les bonbons.

Moi, je ne sais pas pourquoi, je me méfie encore un peu.

On verra comment il est demain.

Bon, je vais me coucher.

Allez, bonne nuit !!!